Les maléfices du marécage

L'auteur : Marie-Hélène Delval est auteur
de nombreux romans et histoires pour la jeunesse,
publiés aux éditions Bayard Jeunesse, Flammarion…
Pour Bayard, elle est également traductrice
de l'anglais (les séries L'Épouvanteur
et La cabane magique, *L'Aîné*…).
C'est une passionnée de « littérature de l'Imaginaire »
et – bien sûr – de fantasy !

L'illustrateur : Alban Marilleau a étudié
à l'École Supérieure de l'Image d'Angoulême.
Depuis, il illustre des albums, de la bande dessinée,
et travaille pour Bayard Presse.
Ses ouvrages sont notamment publiés
aux éditions Nathan et Larousse. Pour représenter
l'univers magique des dragons de Nalsara,
il s'est inspiré des ambiances qu'il fréquentait
déjà enfant, dans les romans de Tolkien.

© 2017, Bayard Éditions
© 2011, Bayard Éditions
Dépôt légal : février 2011
ISBN : 978-2-7470-3371-8
Deuxième édition - Mars 2019
Loi n°49-956 du 16 juillet 1949 sur les publications à destination de la jeunesse.

Imprimé en Espagne par Novoprint

Les maléfices du marécage

Marie-Hélène Delval

Illustrations d'Alban Marilleau

bayard jeunesse

Les dragons de Nalsara

Cette histoire se passe au royaume
d'Ombrune, sous le règne du roi Bertram.
À deux heures de bateau du port de Nalsara,
la capitale, s'élève l'île aux Dragons.
On l'appelle ainsi car, tous les neuf ans,
deux ou trois dragonnes sauvages
viennent y déposer leur œuf.
C'est là que vit Antos, le Grand Éleveur
de dragons, avec ses enfants, Cham et Nyne.

Résumé de l'épisode précédent
Aux mains des sociers

Dhydra, toujours prisonnière dans la Citadelle Noire, a récupéré son miroir grâce à Nyne. Cet objet magique va l'aider à résister aux Addraks, qui exigent toujours qu'elle appelle des dragons pour leur armée. Cependant, Darkat – demi-frère de Dhydra et oncle de Cham – s'efforce de faire du garçon un sorcier. Il lui donne à manger des fruits qui empoisonnent son esprit ; il lui met entre les mains Ténébreuse, l'épée de son grand-père, une arme chargée de maléfices ; il lui enseigne la magie noire. Peu à peu, le garçon se laisse séduire, au grand désespoir de sa mère. Comme elle refuse encore une fois d'obéir aux sorciers, elle est emprisonnée dans un cachot sans lumière, au plus profond de la citadelle ; car c'est Cham qui va appeler les dragons. Sur le dos de la strige, il file au-dessus de l'océan vers le royaume des puissantes créatures ailées. Mais Dhydra avait chargé Otéron, le nicampe, de les prévenir. Les dragons repoussent violemment la strige ; sous le choc, Cham tombe à l'eau. Vag, l'élusim, le repêche et le dépose sur un rocher, aux pieds de sa mère, qui a réussi à quitter son cachot grâce au pouvoir de son miroir. Ce bain forcé – et sans doute la magie des dragons – a délivré Cham de l'influence des sorciers. Dhydra apprend à son fils comment se transformer en moineau. Elle-même se change en chouette blanche ; et tous deux s'envolent, libres !

1

En fuite

– Cham et Dhydra sont libres ! s'exclame Antos, bouleversé.

Pendant presque neuf ans, il a cru sa femme morte, emportée par l'océan au cours d'une tempête. Puis il a appris qu'en réalité elle avait été enlevée par la strige et qu'elle était prisonnière des sorciers addraks. Et voilà qu'à présent il peut espérer la revoir ! Très bientôt !

Isendrine et Mélisande, les magiciennes, secouent la tête, la mine grave :

– La route est longue pour deux oiseaux, depuis la Citadelle Noire. Longue et…

–… pleine de dangers.

–Sauriez-vous leur venir en aide, belles dames? demande Antos.

–Et moi? intervient Nyne. Je peux faire quelque chose? Je suis déjà allée jusqu'à la citadelle. Si Vag…

Son père l'interrompt :

–Pas question, fillette! Assez de folies! Tu ne bougeras pas d'ici.

Messire Onys, le Maître Dragonnier, pose la main sur le bras d'Antos d'un geste apaisant :

–N'ayez aucune crainte, Grand Éleveur. Nous ne laisserons plus votre fille prendre le moindre risque. Nous devons toutefois tenter de secourir votre femme et votre fils.

Il se tourne vers les magiciennes, l'air interrogateur. Les deux femmes déclarent :

–Nous allons préparer pour eux des sortilèges de protection, mais…

–… combien de temps resteront-ils oiseaux?

L'éleveur de dragons s'étonne :

—Pourquoi? Votre magie ne fonctionne pas sur les humains?

Isendrine et Mélisande le dévisagent, amusées:

—Pour ailes qui volent ou pour pieds qui marchent…

—… paroles de vent ou paroles de terre.

Et elles concluent en souriant:

—Ce n'est pas la même chose, Grand Éleveur; pas…

—… du tout la même chose!

L'aube se levait quand la chouette et le moineau ont pris leur envol. Depuis, plusieurs heures se sont écoulées; les fugitifs sont loin de la Citadelle Noire, à présent. Ils ne sont pas sauvés pour autant, Dhydra le sait. Lorsque le serviteur chargé de lui apporter son morceau de pain et sa cruche d'eau trouvera le cachot vide, il donnera l'alerte. Peut-être même l'a-t-il déjà fait. Et peut-être les Addraks poursuivent-ils déjà leur prisonnière évadée. Ce que Dhydra espère, c'est que les sorciers croiront Cham noyé. Mais leur magie est si puissante!

S'ils découvrent que la mère et le fils se sont changés en oiseaux, ils comprendront que tous deux volent vers le sud pour retourner à Ombrune. Alors, Darkat enverra la strige à leurs trousses…

Dhydra s'adresse mentalement à son fils :

« Plus vite, Cham ! »

La réponse lui parvient par bribes :

« Est-ce qu'on peut… s'arrêter… un peu ? Je suis… si fatigué ! »

La chouette blanche jette un coup d'œil en arrière. Le petit moineau brun la suit péniblement, à battements d'ailes irréguliers. L'effort est trop grand pour Cham : il ne maîtrise pas encore suffisamment la magie. Dhydra repère alors, en contrebas, un bosquet de bouleaux au bord d'une rivière. Ils trouveront là un abri où se reposer et de l'eau pour se désaltérer.

« Suis-moi ! » ordonne-t-elle avant de piquer vers le sol.

À peine Cham a-t-il touché l'herbe qu'il redevient garçon. Il s'écroule sur le dos, bras et jambes écartés.

—Oh, gémit-il, je suis vidé! J'ai cru que
j'allais tomber du ciel comme une pierre!

Près de lui, la chouette blanche s'ébroue.
Puis Dhydra reprend sa forme humaine:

—Je te félicite, Cham. Le sortilège que
nous venons d'utiliser demande beaucoup
d'énergie et de concentration. Certes, je t'ai
transmis un peu de ma force. Mais, si nous
n'avions pas été dans une telle urgence,
jamais je n'aurais exigé de toi une chose
aussi difficile. Et tu as réussi! Tu seras
bientôt un magicien puissant.

Le garçon se redresse avec une grimace,
il frictionne ses épaules douloureuses et
avoue en riant:

– Pour l'instant, il a mal aux ailes, le magicien !

Redevenu sérieux, il ajoute :

– Maman, si j'ai pu faire ça, c'est peut-être aussi grâce à la magie noire que Darkat m'a enseignée… ?

Sa mère le dévisage, songeuse :

– C'est possible. Ce que tu as appris à la Citadelle Noire va demeurer en toi. Ce sera un atout, à condition que tu l'utilises pour le bien, pas pour le mal. Sinon…

Elle s'interrompt et secoue la tête. C'est Cham qui reprend :

– Sinon, je deviendrai un sorcier addrak, hein ?

Dhydra plonge ses yeux dans ceux du garçon :

– Tu es le petit-fils d'un Addrak. Que tu le veuilles ou non, le sang d'Eddhor coule dans tes veines, ne l'oublie pas. Efforce-toi de toujours faire les bons choix.

Nouant les bras autour de la taille de sa mère, Cham pose la tête contre sa poitrine et affirme :

—Je ne me laisserai plus prendre aux mensonges des Addraks. Je veux être comme toi, maman. Jamais je ne ressemblerai…

D'une voix si basse que c'est à peine un murmure, il souffle :

—… ni à Darkat ni à Eddhor.

De la truite crue

Dans la salle du Conseil, au cœur de la Citadelle Noire, les sorciers marchent de long en large avec nervosité. Les dragons ont repoussé la strige ! Tous leurs espoirs sont anéantis.

– À mon avis, déclare Darkat, les dragons ont été prévenus.

– Par qui ? rugit le plus vieux des sorciers, dont le front est orné d'un bandeau d'argent. Qui a pu les prévenir ? Dhydra est enfermée dans les profondeurs de notre forteresse, là où sa magie blanche ne peut rien contre notre magie noire ! Quant à Cham, qui devait nous ramener un troupeau de dragons dociles, il était en ton pouvoir, Darkat. Du moins, c'est ce que tu prétendais…

–Il l'était, Grand Maître ! se défend le jeune sorcier. Et la strige…

–La strige ! Parlons-en ! ironise le vieil homme. Je commence à douter de la puissance de cette créature. Mais peut-être est-ce toi qui ne sais pas la faire obéir ?

Darkat en devient vert de colère. Il ouvre la bouche pour répondre quand, soudain, on

frappe à la porte. Les douze Addraks sursautent. Qui ose troubler le Conseil?

Le Grand Maître marmonne une formule, et le battant s'ouvre. Le chef des gardes se tient sur le seuil, pâle et tremblant. Il bredouille:

– Que le Grand Maître me pardonne… Le garçon qui porte la nourriture à la prisonnière…, il dit que…

Le garde s'interrompt et déglutit.

– Eh bien? l'interroge sèchement le sorcier. Que dit-il?

– Il dit que le cachot est vide, Grand Maître. La prisonnière n'y est plus. Pourtant, la porte n'a pas été ouverte : les quatre verrous étaient poussés, et les sortilèges de fermeture, intacts.

Un silence stupéfait suit cette révélation. Puis tous les sorciers se mettent à parler en même temps : « Le cachot ? Vide ? C'est impossible ! Qui aurait pu… ? C'est une traîtrise, c'est… »

– Assez ! les coupe le Grand Maître.

Il fixe alors Darkat, menaçant :

– La strige, ta créature, échoue dans sa mission. Cham, ton neveu, nous échappe…

– Cham est tombé à l'eau ! proteste Darkat. Il s'est noyé ! Je ne…

– Tais-toi !

Le Grand Maître termine d'une voix glaciale :

– Et ta sœur s'évade d'un cachot fermé par d'énormes verrous et imprégné de magie noire ! Comment expliques-tu ça, Darkat ?

La question laisse le jeune sorcier aussi ahuri qu'horrifié. Le croit-on complice de cette évasion ? Tous les regards sont braqués sur lui, soupçonneux, hostiles. Au bout de quelques secondes, il reprend ses esprits. Il se redresse et déclare avec fierté :

– Grand Maître, je suis le fils d'Eddhor. Comme mon illustre père, je consacre toutes mes forces à servir la gloire des Addraks. Personne ne désire autant que moi conquérir le royaume d'Ombrune. Jamais je ne trahirai ! Jamais ! Je ne peux pas fournir d'explication à ce qui vient d'arriver. Mais, si vous m'en donnez l'ordre, je me mettrai sur-le-champ à la poursuite de Dhydra et je vous la ramènerai ; j'en fais le serment !

L'homme au bandeau d'argent observe un moment le jeune homme d'un œil dur. Enfin, il articule :

– Eh bien, cet ordre, je te le donne. Va ! Et ramène-nous Dhydra.

D'un ton narquois, il ajoute :

– Ramène-nous la fille d'Eddhor, ton aimable sœur. Je ne voudrais pas vous voir séparés plus longtemps…

Cham rajuste ses vêtements et se réjouit de les sentir secs. Ce long vol sous forme de moineau a effacé les effets de son plongeon dans les vagues. Le cuir épais de la veste et du pantalon, la tenue addrak que lui a fournie Darkat, le protège bien. Mais sa mère, dans sa mince robe de laine? Supporte-t-elle la température hivernale grâce à la magie?

En tout cas, Dhydra ne semble pas souffrir du froid. Penchée au-dessus du ruisseau, les manches relevées, elle guette une grosse truite qui se faufile entre les herbes d'eau. D'un geste habile, elle l'attrape et l'assomme contre un rocher:

– Voilà notre déjeuner, Cham! Nous devons reprendre des forces avant de nous remettre en route.

– On va la manger… crue?

– Toute crue! Tu vas voir, c'est délicieux.

Dhydra fend le ventre du poisson avec une pierre tranchante, le vide de ses entrailles. Puis elle détache un morceau de chair et le tend au garçon:

–Tiens, goûte!

Cham mâche prudemment:

–Tu as raison, c'est... c'est frais. Mais il y a du bois mort, sous les arbres. On pourrait...

Sa mère secoue la tête:

–Non! Ce serait très imprudent d'allumer un feu. Si nous sommes poursuivis...

Elle scrute le ciel, l'air concentré:

–Je ne crains pas seulement la strige. Les sorciers addraks emploient des espions aux apparences trompeuses. Nous devons nous méfier de tout: des animaux, des nuages et même des buissons.

Cham regarde autour de lui: ces bouleaux aux écorces blanches, ces roseaux frémissant dans le vent, ces rochers moussus... Et s'ils dissimulaient des yeux malveillants en train de les observer?

Une idée lui vient soudain:

–Maman? Pour retourner à Ombrune, on n'a qu'à appeler un dragon. Il nous transporterait, ce serait plus rapide et moins fatigant.

Dhydra hausse les sourcils :

– Je viens de passer neuf ans dans un cachot parce que je refusais d'appeler des dragons, et tu voudrais que j'en attire un ici ? D'ailleurs, communiquer avec eux – ou avec les élusims – provoquerait une vibration magique. Les Addraks la sentiraient, et nous serions aussitôt repérés. Nous voyagerons par nos propres moyens, c'est plus sûr. Allons, en route !

– Ah ! fait le garçon, mi-honteux, mi-dépité.

Il étire ses muscles raides et s'inquiète :

– Alors, on va encore se changer en oiseaux ?

Dhydra esquisse un sourire :

– Non, mon fils, tu n'en aurais plus la force. Je ne voudrais pas te voir dégringoler du ciel comme une caille tirée par un chasseur ! Nous allons nous servir de nos jambes. Seulement, ne tardons pas. Nous n'avons pas encore mis assez de distance entre la Citadelle Noire et nous.

Vif-argent

La Citadelle Noire! À l'évocation de ce lieu maudit, le garçon frémit. Dire que, pendant quelques jours, il s'y est senti chez lui! Comment a-t-il pu se laisser prendre à la fausse amitié de Darkat?

Il marche un moment en silence, puis il demande:

—Nous allons vers le sud, n'est-ce pas, maman?

—Oui, nous retournons à Nalsara.

Cham se souvient de ses leçons de géographie, à la ferme, avec son père. Il n'existe pas de cartes détaillées du Territoire des Addraks. Ce qui est sûr, c'est qu'une haute barrière rocheuse, les Montagnes du Nord, marque la frontière avec le royaume d'Ombrune.

Comme si sa mère avait deviné ses pensées, elle explique :

— La strige nous cherchera d'abord le long de la côte, car les Mornes Monts, comme les appellent les Addraks, sont réputés infranchissables en hiver. Nous passerons donc par la montagne. Je ne sais pas encore comment, mais nous trouverons un moyen. Tout le long de leur pied s'étend un vaste marécage envahi de brouillard, qu'il faudra traverser. J'espère l'atteindre avant la nuit. La brume nous dissimulera.

Cham approuve de la tête tout en songeant :

« Un marécage ? On risque de s'enliser. Et puis, ça doit être plein de bêtes... Quant à passer par la montagne... Comment fera-t-on si elle est infranchissable ? »

Néanmoins, il garde ses réflexions pour lui et presse le pas.

Au palais de Nalsara, dans la salle secrète où elles préparent leurs sortilèges, Isendrine et Mélisande sont penchées sur un récipient contenant un liquide argenté. C'est du mercure, un poison, mais aussi un métal qui concentre merveilleusement la magie. À mi-voix, elles chantonnent :

– Vif-argent, miroir des présages…

– … vif-argent, métal-qui-voit, reflète pour nous ce qui est caché !

Un frisson parcourt le liquide, qui se creuse comme si un doigt invisible dessinait à sa surface. Les magiciennes observent avec attention les curieuses arabesques. Puis elles s'exclament :

– La strige est en route ! Elle a déjà flairé…

– … la trace des fugitifs ! Ils sont en grand danger !

Elles échangent un regard anxieux et murmurent :

– La mère est affaiblie, et le fils exténué. Il faut…

– … que nous les aidions à résister !

Alors, d'un même geste, elles plongent chacune un doigt dans le mercure, lancent dans les airs deux fines gouttelettes scintillantes qui se fondent en une seule, et elles récitent :

– Vole, vif-argent ! Trouve-les et…

– … apporte-leur ce concentré d'énergie !

Le soleil descend vers l'ouest. Le ciel se teinte de rose. Dhydra et Cham marchent toujours, et leurs ombres s'allongent peu à peu à leur gauche. La jeune femme tâte son miroir, au fond de sa poche, pour y puiser un peu de force. Inquiète, elle songe :

« Je m'épuise, je le sens ; la malfaisance des Addraks flotte partout dans ce pays. L'air, la terre, tout en est imprégné. Les marais sont plus éloignés que je le pensais, et la nuit va tomber. La puissance de la strige augmente avec l'obscurité. Si elle nous rattrape avant que… »

À cet instant, le miroir tressaille entre ses doigts. Dhydra étouffe un cri. C'est un aver-tissement, elle le comprend. Elle pensait à l'effroyable créature, et le miroir a réagi. Elle retient son fils par le bras :

– Cham, nous sommes suivis…

Le garçon pâlit :

– C'est la strige, hein ? Elle est derrière nous ?

– Tais-toi ! Laisse-moi faire…

Dhydra se concentre, elle respire profondé-ment. Puis, d'un geste lent, elle sort le miroir de sa poche et l'élève devant elle. Cham reconnaît aussitôt l'objet. Stupéfait, il lâche :

—Ton miroir! Mais…

—Chut! Je t'expliquerai plus tard.

Le garçon est abasourdi : quand il a quitté l'île aux Dragons, le miroir était en possession de sa sœur. Par quel prodige est-il arrivé là ? Cham observe sa mère, qui fixe la surface de verre. Qu'y voit-elle ? Le miroir va-t-il lui montrer l'horrible silhouette noire du monstre, comme il l'a fait, une fois, dans la chambre de Nyne[1] ?

C'est trop de mystère pour Cham ; trop de tension aussi. Il insiste :

—Maman, qu'est-ce que…

—Silence ! siffle Dhydra.

Cham en reste muet. Il attend, la gorge sèche. Enfin, sa mère murmure :

—La strige approche. Nous devons nous cacher, vite !

« Nous cacher ? pense le garçon, affolé. Où ? »

Ils sont au milieu d'une plaine nue, sans un arbre, sans un buisson, sans un rocher.

---

1. Lire *La colère de la strige* (Les dragons de Nalsara, n° 6).

Dhydra le prend par les épaules et le regarde au fond des yeux :

— Je vais lancer un sortilège d'invisibilité. Seulement, il faut que tu m'aides. Malgré le secours de mon miroir, je crains d'être trop fatiguée pour y réussir seule.

— Mais, maman, je ne sais pas…

Dhydra pose les doigts sur la bouche de son fils :

— Fais simplement ce que je te dis ! Prends ma main, ferme les yeux, inspire et expire à fond. Voilà, c'est bien. Maintenant, répète après moi : *Néoc niévidim !*

— *Néoc niévidim !* souffle Cham.

Tous deux répètent la formule encore une fois. La magie a-t-elle fonctionné ? Cham n'ose plus bouger.

— Je n'y arrive pas…, gémit Dhydra.

Le garçon entrouvre les paupières. Sa mère est toujours là, devant lui, bien visible. Il y a tant d'angoisse sur son visage que Cham en est épouvanté.

Soudain, Dhydra lâche une exclamation de surprise et de joie :

–Une goutte de vif-argent!

Elle tend la main. Une petite bille scintillante descend du ciel en virevoltant et, docile, vient se poser sur la paume ouverte de la jeune femme.

Brume et brouillard

Chevauchant la strige, Darkat survole longuement les alentours de la Citadelle Noire sans repérer la moindre trace de la fugitive.

«Quel sortilège Dhydra a-t-elle utilisé pour sortir d'un cachot imprégné de magie noire?» ressasse le jeune sorcier.

Sa sœur est beaucoup plus puissante qu'il l'imaginait, et cette idée l'irrite.

Puis il raisonne:

«Aucune empreinte de pas. Elle s'est donc échappée par la mer ou par les airs…»

Dhydra s'est-elle changée en poisson ou en oiseau?

Darkat ordonne à la strige :

— Par le pouvoir du diamant d'Eddhor, ton créateur, vois, sens, entends ce qui ne se voit, ne se sent ni ne s'entend! Et fais-moi voir, sentir, entendre!

La créature se dirige d'abord vers l'océan. Elle plane, effleurant la surface de l'eau. Elle transmet à son maître des images diverses : un banc de poissons argentés glissant entre de longs rubans d'algues, une méduse dont les tentacules roses ondulent gracieusement, un gros crabe courant se cacher dans un trou. Rien qui évoque une humaine transformée par magie en animal marin.

La strige vire, revient vers la côte. Soudain, elle envoie un signal net. Là, sur un rocher, la trace d'un pied! Seule la créature était capable de la discerner, car la personne qui s'est tenue là est partie depuis plusieurs heures.

— Vois, sens, entends! répète le sorcier, frémissant d'excitation.

La strige obéit. Alors, Darkat voit, sent, entend : non pas un pied mais quatre pieds ! L'odeur de deux humains ! Et un bruissement d'ailes s'éloignant vers le sud !

« Cham ne s'est pas noyé, comprend le sorcier. Il a rejoint sa mère ici. Comment ? Je l'ignore ; mais je sais maintenant ce que nous poursuivons : deux oiseaux qui volent en direction d'Ombrune ! »

— Va ! lance-t-il à sa monstrueuse monture. Rattrape-les !

Cham regarde avec stupéfaction la minuscule larme qui brille sur la paume de sa mère.

— Du vif-argent, murmure Dhydra. Le métal le plus chargé en énergie magique. Quelqu'un vient à notre secours.

— Isendrine et Mélisande, devine le garçon. Ce sont elles, j'en suis sûr !

Cham sent l'espoir renaître en lui : si les magiciennes les aident, ils sont sauvés !

— Comment peuvent-elles savoir où nous sommes ? reprend-il.

– Elles ne le savent pas ; elles ont simplement donné au vif-argent l'ordre de nous
trouver.

Refermant les doigts sur la précieuse
bille, Dhydra déclare :

– Prends ma main, mon fils ! Nous allons
devenir invisibles. Mais ne me lâche pas,
sinon le sort ne te protégera plus.

La jeune femme marmonne de nouveau :

– *Néoc niévidim !*

Au même instant, elle disparaît. Si Cham
ne la tenait pas fermement, il la croirait

partie en fumée! Baissant les yeux, il découvre alors que…

—Je… je ne vois plus mes jambes! bégaie-t-il. Ni mes bras, ni… rien! Ça fait un drôle d'effet!

Un rire léger lui parvient:

—Eh oui! La strige ne nous verra pas non plus, à présent, pas même avec son regard magique. Elle pourrait cependant repérer nos empreintes sur le sol.

—Alors… on doit encore se changer en oiseaux?

Il y a un petit silence, puis un souffle lui chatouille l'oreille:

—Non, le monstre percevrait le battement de nos ailes, l'odeur de nos corps. Nous devons être aussi légers qu'une brume. Viens, Cham!

Au même instant, le garçon se sent décoller du sol; il a l'impression de perdre toute consistance. Ce n'est pas désagréable, juste très bizarre. Heureusement, il garde dans sa main la tiédeur de celle de sa mère. Puis l'herbe et les cailloux se mettent à défiler au-dessous de lui à une vitesse surnaturelle.

Peu à peu, la nuit envahit le paysage. Ils survolent à présent une étendue noire d'où pointent des tiges de joncs. Ici et là, des flaques sombres reflètent les premières étoiles.

« Le marécage, songe Cham. Nous avons atteint le marécage. »

La strige a repéré le bosquet de bouleaux, près du ruisseau, là où Dhydra et Cham ont fait halte. À partir de là, elle n'a aucun mal à suivre leur piste, qui va toujours vers le sud.

Soudain, les traces de pas s'arrêtent. La créature tourne en rond, dépitée. Elle projette dans l'esprit de son maître son incompréhension et sa colère : les deux fugitifs se sont tout bonnement évaporés !

— Qu'est-ce que c'est encore que ce sortilège ? grommelle Darkat, aussi frustré et furieux que sa monture.

Au palais de Nalsara, Isendrine et Mélisande sont toujours penchées sur leur cuve de mercure. Attentives, elles observent les arabesques qui se dessinent dans le liquide métallique.

– Brume et brouillard, chantonne l'une. Voilà bien…

– … le plus sûr des déguisements, achève l'autre.

Puis le mercure leur montre autre chose.

– Brume, brouillard, odeur de vase. Il leur faut à présent s'aventurer…

– … sur les sentiers mouvants du maré-cage !

5

Ce qui habite le marécage

Cham se pose sur le sol avec un choc mou ; il sent ses semelles s'enfoncer dans une terre boueuse. Il fronce le nez : l'air humide sent le pourri.

– Nous avons semé la strige, murmure Dhydra. Du moins, pour le moment…

Les fugitifs ont repris leur apparence normale. Pourtant, c'est à peine si Cham distingue à côté de lui la silhouette de sa mère, car la nuit est tombée, une nuit très noire.

– Où allons-nous, maintenant, maman ? demande-t-il.

Les yeux de Dhydra luisent vaguement dans la pénombre :

– Droit devant, mon fils.

Avec un petit rire, elle précise :

– Mais par un chemin tortueux ! Ici, c'est le marais qui décide. Prenons garde où nous posons les pieds si nous ne voulons pas nous embourber.

– On n'y voit rien, marmonne Cham. Pas une étoile, pas le moindre clair de lune !

– Remercions les nuages ! Ces ténèbres sont un danger ; en même temps, elles sont une protection. Viens ! Et, surtout, reste bien derrière moi !

Dhydra se remet en marche, le garçon la suit. Un bruit mouillé les accompagne à chaque pas : *floutch, floutch !* Cham a l'impression que le sol est une bouche qui cherche à aspirer ses bottes. Des fantômes de brume flottent alentour ; l'odeur de vase est écœurante.

Ils progressent ainsi longtemps avec la plus grande prudence. Dhydra fait des tours et des détours, évitant habilement les trous d'eau. Des roseaux invisibles chuchotent ; parfois, un *plouf !* retentit : une bête a plongé quelque part. À chaque fois, Cham sursaute : une grenouille ou… ? Quelles créatures

peuvent bien habiter ces eaux immobiles, cette boue puante ?

Ils avancent. Et il semble au garçon qu'ils n'atteindront jamais l'autre côté du marécage, que la nuit elle-même ne finira pas.

Soudain, Dhydra s'arrête.

– Chut ! souffle-t-elle. Ne bouge pas !

Cham s'immobilise. Qu'est-ce qui a alerté sa mère ? Il a beau tendre l'oreille, il n'entend rien. Il fouille l'obscurité du regard. Il ne voit rien.

– Quoi ? fait-il à voix très basse.

– Je crois que…

C'est à peine s'il perçoit la fin de la phrase :

– … nous ne sommes plus seuls.

Sur l'ordre de son maître, la strige décrit de larges cercles au-dessus de l'endroit où les fugitifs ont mystérieusement disparu.

Darkat répète entre ses dents :

– Vois, sens, entends !

Rien. La strige ne lui transmet rien. Il l'oblige cependant à tourner, tourner encore.

En aucun cas il ne voudrait revenir bredouille à la citadelle. Avouer son échec, affronter la colère du Grand Maître? Non, impossible! Alors, Darkat et sa monture poursuivent obstinément leur lent manège.

Enfin, la créature frémit. Plein d'espoir, le jeune sorcier s'écrie:

– Que vois-tu? Que sens-tu? Qu'entends-tu?

La réponse lui parvient sous la forme d'un point lumineux.

– Une luciole? grommelle Darkat, décontenancé. Pourquoi me montres-tu une luciole?

Les yeux plissés, il se concentre. La luciole danse à un rythme régulier dans l'obscurité, et le sorcier sent alors palpiter l'énergie magique qu'elle contient.

– Ce n'est pas un insecte! comprend-il. C'est une larme de vif-argent!

Comment Dhydra s'est-elle procuré du vif-argent? Darkat ne peut se l'expliquer. Qu'importe! Il a retrouvé la trace des fugitifs! Ils se dirigent vers les Mornes Monts!

Une joie féroce l'envahit.

– Que vois-tu ? Que sens-tu ? Qu'entends-tu ? répète-t-il en lançant sa monture en direction du sud.

Cette fois, des images mentales s'impriment dans sa tête : brouillard, odeur de vase, bruissements de roseaux…

– Le marécage ! Ils s'aventurent dans le marécage ! Les fous ! Ils vont s'enliser, et nous n'aurons plus qu'à les ramasser tels des poissons pris dans une épuisette !

Avec un grand rire, il encourage la strige :

– Va, ma belle ! Va !

Et leur silhouette noire s'enfonce dans la nuit à la vitesse d'une flèche.

« Nous ne sommes plus seuls… »

Cham s'est figé, le cœur battant. Il n'a jamais entendu de phrase plus terrifiante ! Il écarquille les yeux, tâchant de percer les ténèbres. Il saisit la main de sa mère et la serre à s'en faire mal. Il guette un souffle, un bruit de pattes, un claquement de mâchoires qui révéleraient la présence d'une bête. Si des êtres monstrueux habitent les marais, ils n'apprécient sûrement pas l'intrusion de deux humains sur leur territoire...

Pendant d'interminables secondes, rien ne se passe. Puis une flamme vacillante s'allume à leur droite. Une autre à leur gauche. Une troisième devant eux. Cham cligne des paupières. Il s'était accoutumé à l'obscurité, et ces faibles lumières suffisent à l'éblouir. Enfin, il distingue trois visages, et trois regards qui les fixent. Puis une voix les interroge :

– Qui êtes-vous ? Que faites-vous chez nous ?

Le ton est dur, presque méchant. Pourtant, Cham ressent un vif soulagement : c'est une fille qui a parlé. Une fille sans doute à peine plus âgée que lui. Les deux autres porteurs de lampe se rapprochent d'elle.

Des enfants !

Les terribles créatures qui hantent le marécage sont des enfants !

Igrid

Cham lâche la main de sa mère. Celle-ci avance d'un pas et dit tranquillement :

–Bonsoir ! Je m'appelle Dhydra ; voici mon fils, Cham. Nous sommes en fuite, et nous espérions nous cacher dans les marais. Je ne savais pas qu'ils étaient habités…

La fille élève sa lampe pour mieux examiner les arrivants. Méfiante, elle demande :

–En fuite ? Qui vous poursuit ?

–La strige. Mais elle a perdu notre trace.

–La strige…, répète la fille avec une grimace.

Elle crache de dégoût. Puis elle pointe le doigt et pose une question inattendue :

– Que serres-tu dans ta main, Dhydra ? Est-ce une goutte de vif-argent ?

– C'en est une. Maintenant, à moi de t'interroger, jeune fille : comment connais-tu le vif-argent ? Et comment t'appelles-tu ?

À la grande surprise de Cham, la fille éclate de rire :

– Nastrad a vu juste ! Il m'a dit : « Igrid, nous avons des visiteurs : une magicienne puissante et son fils. Va les accueillir avec tes frères, et amène-les-moi. »

Avec fierté, elle ajoute :

– Nastrad est mon grand-père. Il est aussi notre chaman[1]. Suivez-nous. Et ne vous écartez pas du chemin ; par ici, il y a des trous profonds.

Quelques instants plus tard, le petit groupe s'arrête sur un sol plus ferme. Ils ont traversé le marécage. Les nuages se sont un

---

1. Chaman : magicien en relation avec les forces de la nature.

peu écartés; à la lumière de la lune, Cham découvre une énorme masse sombre qui les surplombe. Elle est si haute que, même en tendant le cou, il n'en distingue pas le sommet. Abasourdi, il demande:

—Est-ce que ce sont les Montagnes du… Je veux dire les Mornes Monts?

—Oui, répond Igrid. C'est là que nous habitons. Venez!

La fille escalade en quelques bonds un éboulis de pierres, suivie de ses petits frères. Tous trois se glissent dans une fente à peine visible dans la roche couverte de lichens. Cham hésite un bref instant: où les emmène-t-on?

—Allons-y, mon fils, l'encourage Dhydra.

Ils se faufilent à leur tour par l'étroite ouverture. Les voilà dans un corridor obscur qui descend en pente raide. Les trois petites flammes peinent à éclairer le sol pierreux. Le tunnel s'enfonce interminablement dans le cœur de la montagne.

Et, soudain…

—Oh! lâche Cham, stupéfait.

Ils viennent de déboucher dans une vaste grotte, ornée de stalactites et de stalagmites. Certaines se rejoignent, formant des piliers dignes d'un palais ; elles scintillent dans la lumière diffusée par des lampes de terre cuite, accrochées un peu partout. Au fond de la caverne, l'eau d'une source jaillit du rocher et tombe en clapotant dans un large bassin. Une agréable tiédeur baigne cette salle souterraine.

— Suivez-moi, répète Igrid.

Ils traversent la salle. Des hommes et des femmes sont occupés à diverses tâches. Certains tressent des paniers de joncs, d'autres cousent des peaux, d'autres encore fabriquent des poteries. Des enfants jouent avec des osselets, et les petits frères d'Igrid courent les rejoindre. Tous regardent passer les arrivants avec curiosité.

Igrid entraîne Dhydra et Cham par un autre couloir. Bientôt, ils pénètrent dans une sorte de chambre. Le long d'une paroi, il y a un matelas de roseaux recouvert de four-rures. Le sol est tapissé de joncs tressés. Au centre de la pièce, un vieil homme est assis en tailleur. À ses yeux blancs, Cham comprend qu'il est aveugle.

— Voici Nastrad, mon grand-père, le présente Igrid.

— Bienvenue, dit le vieillard d'une voix cassée. Bienvenue chez le Libre Peuple ! Je vous ai vus venir. Une magicienne et son fils. Une magicienne qui sait utiliser le pouvoir du vif-argent. J'ai vu aussi que vous étiez en grand péril. Une ombre noire vous poursuit. Ici, elle ne vous trouvera pas. Asseyez-vous près de moi et contez-moi votre aventure.

Tous deux s'assoient. Dhydra prend la parole :

— Merci, Nastrad. Nous sommes poursuivis, en effet. Nous nous sommes évadés de la Citadelle Noire.

— Ah ! La forteresse des sorciers addraks !

— Tout à fait. Nous sommes originaires d'Ombrune et nous devons y retourner au plus vite. Avant de trouver le moyen de franchir la montagne, nous espérions nous cacher dans le marécage. Je ne m'attendais pas à y rencontrer des habitants.

Le vieil homme a un petit rire :

— Les Addraks eux-mêmes ignorent notre existence. Mais poursuivez !

Dhydra entame son récit. Le chaman l'écoute avec attention, approuvant parfois de la tête. Cham, lui, observe Igrid à la dérobée. Elle est mince et musclée, vêtue d'une tunique de peau. Sa chevelure, surtout, le fascine : une cascade de boucles d'un roux flamboyant retenues par une lanière de cuir.

Soudain, la rouquine se penche vers lui et chuchote :

— Je connais mon grand-père : il est aussi curieux qu'une chèvre. Il va bavarder avec ta mère la moitié de la nuit. Viens, je vais te faire visiter notre domaine.

Elle prend le garçon par la main et l'entraîne en lui jetant un clin d'œil. Elle a des yeux ! Verts et piquetés de points d'or. Devant ces yeux-là, Cham se sent prêt à faire n'importe quoi !

Le Libre Peuple

La strige file dans la nuit. Elle est bientôt arrivée à la lisière du marécage. Alors, elle s'arrête et plane, immobile, indécise.

– Montre-les-moi ! ordonne Darkat entre ses dents.

Mais la créature ne voit plus rien. Le point lumineux qui l'a guidée jusque-là s'est éteint.

– Vois, sens, entends ! insiste le sorcier.

La strige ne lui transmet qu'un reflet d'eau boueuse, une odeur de vase, un bruissement de joncs.

– Où sont-ils ? La boue les a-t-elle avalés ou est-ce un nouveau sortilège de ma chère sœur ?

Darkat s'efforce de contenir la colère qui monte en lui. Ce n'est pas en s'énervant qu'il repérera les fugitifs, au contraire.

Sur un ordre de son maître, la strige survole lentement le marécage au ras des joncs. De temps à autre, une grenouille plonge avec un *plouf!* sonore, un serpent d'eau ondule, silencieux. Rien, aucune trace des fugitifs.

Peu à peu, la créature se rapproche de la haute barrière rocheuse, dont la masse sombre se confond avec le ciel nocturne.

C'est alors qu'elle envoie à son maître une image inattendue : les empreintes mêlées de plusieurs pieds, qui sortent du marais et s'arrêtent au bas de la montagne.

– Ils ne tenteraient tout de même pas d'escalader les Mornes Monts ! grommelle le sorcier.

Il oblige la strige à s'élever pour explorer la paroi.

Non, impossible! Ils n'ont pas pu grimper là, c'est trop raide. Mais pourquoi la goutte de vif-argent a-t-elle disparu? Si elle s'était simplement enfoncée dans la vase, son éclat magique serait encore visible. Le jeune sorcier ne comprend pas et il en tremble de rage.

−La strige est dehors, avec son cavalier, dit Nastrad d'un ton calme.

Dhydra sursaute:

−Quoi? Si elle nous trouve, si elle *vous* trouve…

−Ne vous effrayez pas! la rassure le vieil homme. La montagne est la protectrice du Libre Peuple. Elle nous garde dans son ventre chaud sans révéler notre présence.

−En sortant du marécage, nous avons sûrement laissé des traces. Darkat pourrait…

−Le fils d'Eddhor est puissant. Pas assez, toutefois, pour nous repérer. J'ai certains pouvoirs, moi aussi. Et votre magie blanche, Dhydra, s'allie merveilleusement avec ma connaissance des forces de la nature. Soyez sans crainte : tant que vous resterez dans nos grottes, vous ne courrez aucun danger.

Dhydra objecte :

— Nous devrons tout de même en sortir, si nous voulons retourner à Ombrune…

Le visage ridé du chaman se plisse en un sourire malicieux :

— Il existe des chemins secrets. Quand vous aurez repris des forces, nous vous guiderons. En attendant, il est temps de vous offrir un souper et un lit !

Cham n'en revient pas : de nombreuses familles habitent dans les profondeurs de la montagne. Il y a des enfants de tous les âges, des jeunes gens, des vieux. Le Libre Peuple ! Il survit ici depuis trois cents ans, et les Addraks n'en savent rien ! Tandis qu'ils dînent tous ensemble, Igrid lui raconte l'histoire de sa tribu, qui a cherché refuge dans les grottes lorsque les sorciers addraks ont asservi le reste de la population.

— Le pays était riche et heureux, autrefois,

lui apprend-elle. Il s'appelait Norlande. Puis les sorciers sont venus d'on ne sait trop où, d'un territoire très loin à l'est, paraît-il. Ils ont tué le roi et tous les dirigeants. Ils ont fait régner partout leur magie noire.

Tout en écoutant, Cham lèche son assiette de terre cuite pour ne pas perdre une miette du succulent poisson qu'il vient de dévorer.

– Hmm, fait-il. Délicieux ! Vous pêchez ça dans les marais ?

– Évidemment. C'est bon, hein, le serpent d'eau !

– Du… serpent?

Il fait une telle tête qu'Igrid s'inquiète:

– Ça ne va pas? Tu es malade?

Le garçon croise alors le regard amusé de sa mère. Il rougit et marmonne:

– Non, non, ça va. Je suis juste un peu fatigué.

Le repas terminé, Igrid conduit Cham et Dhydra dans une petite grotte. Comme partout, le sol est recouvert d'un tapis de joncs. Des nattes de roseaux servent de matelas. La fille leur laisse une lampe, puis elle leur souhaite une bonne nuit et se retire.

Sur sa natte, enveloppé dans une chaude fourrure d'ours des montagnes, Cham pense au regard vert d'Igrid. Laissant courir son imagination, il se voit déjà devenu un grand dragonnier. À la tête d'une puissante armée, il revient chasser les Addraks… À l'instant de glisser dans le sommeil, il se fait une promesse solennelle: lui, Cham, fils de Dhydra la magicienne et d'Antos l'éleveur de dragons, il rendra son pays au Libre

Peuple. Oui, un jour, chevauchant un puissant dragon, il délivrera Norlande de la tyrannie des sorciers !

Bien loin de là, à Nalsara, Nyne s'est endormie, elle aussi. Et elle sourit car sa mère marche vers elle en lui tendant les bras. Puis Cham apparaît ; il semble plus grand, plus fort. Il porte un habit de cuir noir que Nyne ne lui connaissait pas. La petite fille gémit et s'agite dans son lit. C'est étrange, son frère ressemble… Il ressemble à Darkat, le sorcier !

Elle se réveille en sursaut. Les yeux grand ouverts dans le noir, elle écoute. Elle

entend, à l'autre bout de la chambre, une respiration régulière : son père est là, qui dort paisiblement.

« Allons, ce n'était qu'un rêve ! »

Nyne se pelotonne sous les couvertures et se rendort avec un soupir rassuré.

8

Imprudence et vantardise

Le lendemain matin, à son réveil, Cham se sent merveilleusement reposé. Voilà longtemps qu'il n'avait pas aussi bien dormi. En compagnie de Nastrad et d'Igrid, sa mère et lui prennent le petit déjeuner : une omelette baveuse à souhait, parfumée aux herbes de la montagne.

– Vous élevez des poules, dans les grottes ? demande-t-il.

Igrid hausse un sourcil étonné :

– Pas besoin de les élever ! Des poules d'eau, il y en a plein le marécage. On n'a qu'à se baisser pour ramasser leurs œufs. Avec mes frères, on va aussi en chiper dans les nids des aigles et des faucons. On adore l'escalade ! Si tu veux, je t'emmènerai tout à l'heure dans un endroit secret. C'est ma cachette à moi. Mais tu ne diras rien à Ménel et Jélel !

– Tes petits frères ? Non, non, c'est promis.

Le repas achevé, Cham laisse sa mère en grande discussion avec le vieux chaman et s'empresse de suivre Igrid. Celle-ci le conduit par un corridor étroit qui grimpe raide. Elle s'est munie d'une lampe, car l'obscurité y est totale. Des marches grossières sont taillées dans le roc. Cham est vite hors d'haleine. La fille rousse, elle, galope avec l'agilité d'une chevrette. Enfin, une ouverture laisse passer la lumière du jour ; ils surgissent sur une corniche, en surplomb du marais. Le pâle soleil matinal, qui rosit les lambeaux de brouillard, allume des reflets d'argent dans les trous d'eau.

Igrid englobe le paysage d'un mouvement du bras :

– C'est beau, hein ?

Cham approuve de la tête. Il peine à reprendre sa respiration et il a un peu le vertige. Il ne s'était encore jamais trouvé à une telle hauteur !

– J'aime venir ici, reprend la fille. Je rêve du jour où nous quitterons enfin les grottes pour circuler librement à travers Norlande.

Avec un gros soupir, elle ajoute :

– Malheureusement, ce n'est qu'un rêve. Tant que les Addraks seront au pouvoir...

Cham s'approche d'elle. Depuis la veille, il a envie de lui prendre la main. À cet instant, il ose le faire. Et Igrid ne retire pas sa main ; au contraire, elle mêle ses doigts à ceux du garçon. Cham a l'impression que son cœur va exploser. Alors, d'une voix un peu rauque, il dit :

– Tu sais, un jour, je serai dragonnier. Et je combattrai pour vous rendre votre terre, je te le promets.

Igrid se tourne vivement vers lui :

– Toi ? Dragonnier ?

Et elle éclate de rire.

Vexé, Cham lui lâche la main :

– Dragonnier, parfaitement ! Je communique avec les dragons, figure-toi ! Je suis même magicien !

Les yeux verts de la rouquine étincellent de malice :

– Magicien ? Pas possible !

Une boule de colère enfle soudain dans la poitrine du garçon :

– Tu ne me crois pas ? Eh bien, regarde !

Il tend l'index vers une branche morte tombée sur la corniche. Il marmonne un sort. La branche se met à onduler. Une seconde après, un serpent déroule ses anneaux sur le sol rocheux, dresse sa tête triangulaire, darde une langue à deux pointes entre ses crocs luisants.

Cham l'attrape d'un geste vif. Aussitôt, le serpent redevient une branche. Le garçon adresse à Igrid un sourire triomphant :

– Alors ? Je ne suis pas magicien, peut-être ?

La fille le dévisage avec des yeux épouvantés.

– Un sorcier…, souffle-t-elle. Tu es un sorcier addrak !

Cham a l'impression de recevoir un seau d'eau glacée en pleine figure. Il balbutie :

– Non, pas du tout ! Je… je ne suis pas un…

À cet instant, un appel retentit dans sa tête :

« Cham ! Qu'as-tu fait ? Rejoins-moi tout de suite dans la grotte de Nastrad ! Vite ! »

C'est la voix de sa mère. Jamais elle ne s'est adressée à lui sur un ton aussi sévère. Cham déglutit, effrayé. Oui, qu'a-t-il fait ? Il a voulu épater Igrid et… Et il a utilisé la magie noire des Addraks, celle que lui a enseignée Darkat !

Toute la nuit, Darkat et la strige ont sillonné le marais, exploré le flanc de la montagne. Ils n'ont découvert aucune nouvelle trace des fugitifs. À croire que la vase ou la roche les ont avalés.

Lorsque le jour se lève, le jeune sorcier se résout à abandonner. Pourtant, il ne veut pas regagner la Citadelle Noire. Pas tout de suite. Cela l'obligerait à reconnaître son échec, et il craint la colère du Conseil des Sorciers. Non, il va d'abord retourner au bord du ruisseau, à l'endroit où la strige a trouvé la trace de pas laissée par Dhydra et Cham. Un indice lui a peut-être échappé?

La créature et son maître repartent donc, lentement, observant encore une fois la route déjà parcourue. Ils sont à mi-chemin quand la strige se cabre, puis fait volte-face, frémissante.

– Qu'as-tu? l'interroge Darkat. Tu as perçu quelque chose?

À sa grande surprise, il reçoit en réponse l'image mentale d'un serpent. Le phéno-mène ne dure que quelques secondes, mais une lueur s'allume aussitôt dans les yeux du jeune homme:

– De la magie noire! Qui, dans ces lieux déserts, a pu lancer ce sort de débutant, sinon... Cham! Et, si le garçon est dans les parages, sa mère n'est pas loin!

Le sorcier a un rire satisfait:

– Cham, mon neveu, tu n'aurais pas dû utiliser un sortilège que je t'ai enseigné ! Un fil invisible te relie à moi, maintenant. Je n'ai plus qu'à tirer sur ce fil pour vous débusquer tous les deux !

Sur ces mots, Darkat lance sa monture de fumée en direction de la montagne :

– Va, ma belle ! Va ! Et trouve-les !

9

Les talents du chaman

Quand Cham pénètre dans la grotte où l'attendent Dhydra et Nastrad, il n'en mène pas large.

– Qu'as-tu fait ? répète sa mère.

Le garçon se balance d'un pied sur l'autre, mal à l'aise. Il a laissé le sang addrak qui coule dans ses veines prendre possession de son esprit, voilà ce qu'il a fait. Mais enfin, est-ce si grave ?

Les yeux baissés, il marmonne :

– C'était un sort de rien du tout. Je n'ai…

Dhydra l'interrompt sèchement :

–C'était de la magie noire, Cham ! La strige a certainement perçu la vibration qui s'est propagée dans les airs ; elle va chercher d'où est partie cette magie. Et elle nous trouvera. Tous.

Le garçon déglutit difficilement. Il comprend soudain à quel point il a été stupide. Par bêtise, par vanité, il a mis en danger sa mère, lui-même, Igrid et tous les siens. Si les Addraks découvrent l'existence du Libre Peuple, il l'anéantira. Et ce sera sa faute à lui, Cham.

Avec un calme surprenant, Nastrad intervient :

–Ne te désole pas, petit. Il nous arrive à tous de commettre des erreurs. Il suffit d'apprendre à en tirer parti. Tu as transformé un bâton en serpent, hein ?

–Oui…

–Un tour facile, mais spectaculaire ! Je suis sûr que ma petite-fille a été très impressionnée… N'est-ce pas, Igrid ?

La rouquine se contente de hausser les

épaules, et le vieil aveugle rit comme s'il avait senti ce mouvement :

—Allons, cesse de bouder, fillette! Les reptiles, ça te connaît. Dans notre tribu, tu es la plus habile pour capturer les serpents d'eau. Explique donc à ton jeune ami, qui a l'air si penaud, ce que je sais faire avec les serpents…

Intrigué, Cham jette un coup d'œil à la fille. Celle-ci le foudroie du regard. Puis elle se tourne vers le vieux et un sourire malicieux lui étire les lèvres :

—Pas seulement avec les serpents, grand-père! Avec les ours, avec les aigles, avec les chauves-souris, avec les…

Le chaman l'arrête d'un geste :

—Holà! Ne nous récite pas la liste de tous les animaux de la création! Pour le moment, les serpents nous suffiront, puisque c'est un sort de serpent que ce jeune magicien un peu sorcier a utilisé.

À l'expression «un peu sorcier», Cham rougit. Cependant, ce que dit le vieil homme a capté son attention. Il attend la suite avec curiosité.

S'adressant à Dhydra, Nastrad poursuit :

– Je n'ai encore jamais uni mes pouvoirs de chaman à ceux d'une magicienne. Ce sera un honneur et un plaisir de travailler avec vous, Dhydra. À nous deux, nous devrions être capables de faire passer un très mauvais moment à la strige et à son sinistre cavalier. Je pense à un certain sortilège, une attaque de reptiles géants… Qu'en dites-vous ?

Cham observe avec surprise l'expression amusée qui éclaire le visage de sa mère. Elle ressemble soudain à une gamine préparant une bonne farce. Le garçon se souvient alors des récits de Viriana, la servante qui a élevé Dhydra : quand elle était petite, celle-ci était une vraie coquine !

– Je pense en effet que nous en sommes capables, répond la jeune femme.

Posant sur son fils un regard adouci, elle ajoute :

– Et Cham nous y aidera. Il se débrouille plutôt bien avec la magie, quand il réfléchit avant d'agir !

– Oui, oui, approuve Nastrad. D'ailleurs, une petite touche de magie noire ne sera pas inutile… Igrid jouera son rôle, elle aussi. Nous allons donc tous les quatre unir nos talents. Par prudence, je vais envoyer le Libre Peuple se cacher dans nos grottes les plus profondes. Le ventre de la montagne est notre abri le plus sûr. Chaque jour, je parle aux roches, à la terre, aux mousses et aux lichens pour qu'ils nous environnent d'invisibilité. Mais Darkat le sorcier sait à présent que vous êtes dans le coin. Tôt ou tard, il va s'aventurer au cœur du marécage. C'est à ce moment-là que nous devrons agir.

Maintenant que Darkat a un moyen de retrouver les fugitifs, il n'est plus si pressé. Le fil invisible que la magie noire a tendu entre lui et le garçon l'a ramené à la lisière du marécage.

Observant la masse impressionnante de la montagne, il marmonne entre ses dents :

– Sans doute se dissimulent-ils grâce à un sortilège. Métamorphose ? Invisibilité ? Je vais bientôt le savoir. Dans quelques heures, il fera nuit. La puissance de la strige atteindra son maximum ; elle les trouvera. Ce n'est pas une malheureuse larme de vif-argent qui suffira à les protéger !

Puisqu'il a le temps, le jeune sorcier décide de prendre un peu de repos. Il ordonne à sa monture de s'étaler sur le sol, telle une épaisse couche de mousse grisâtre. Darkat s'allonge sur ce matelas tiède et mou, relâche enfin ses muscles fatigués et son esprit tendu.

Il chuchote à la strige :

— Tu n'as pas besoin de sommeil, toi, ma belle ! Alors, veille ! Et, lorsque le crépuscule tombera, nous serons prêts. Personne ne pourra résister au déferlement de notre magie noire ! Pas même Dhydra.

À l'instant où il s'endort, une image lui vient à l'esprit et le fait sourire :

— Un serpent ! Mon neveu s'est amusé à créer un serpent ! Tu as bien profité de mes leçons, Cham. Mais tu as encore beaucoup à apprendre…

10

Serpents et sortilèges

Dans la grotte du chaman, Dhydra, Cham et Igrid écoutent les explications du vieil homme :

– La strige va attendre la nuit, car c'est aux heures nocturnes qu'elle est la plus puissante. Elle suivra alors la vibration de magie noire créée par Cham pour le localiser. Nous allons nous servir de ça pour attirer le monstre et son cavalier au cœur du marécage.

S'adressant au garçon, il ajoute :

– Dès que le crépuscule tombera, tu

monteras de nouveau sur la corniche pour que la strige te repère.

– Moi ? Mais… si elle m'attrape ?

Cham se souvient trop bien de la nuit où il a été capturé, quand il s'était stupidement aventuré hors de la maison de Viriana. Il n'a aucune envie de revivre cette éprouvante expérience !

– Elle ne t'attrapera pas, le rassure Nastrad. Quant à toi, Igrid, tu te cacheras dans les roseaux, au bord du marécage.

C'est au tour de la rouquine d'objecter :

– Moi ? Mais…

– Allons, fillette ! Tu es la petite-fille d'un chaman, et tu as un don pour attirer les animaux.

– Un don pour… ? reprend la fille, étonnée.

– Oui, oui ! Tu ne t'es jamais demandé pourquoi tu attrapais trois fois plus de serpents et de gibier d'eau que n'importe qui ? Eh bien, ce n'est pas seulement parce que tu es plus adroite. Ce soir, tu vas utiliser ce don.

Baissant la voix, Nastrad conclut :

—Écoutez-moi ! Voilà mon plan…

La nuit est tombée, une nuit sans lune. La strige reprend son apparence de dragon ailé et s'élève silencieusement dans les airs.

—À présent, murmure Darkat, tire sur le fil ! Trouve le garçon !

Le sorcier ne s'attendait pas à ce que ce soit aussi facile. Il a à peine fini de parler qu'une image se forme dans son esprit : sur le flanc de la montagne, à bonne hauteur, il y a une plateforme rocheuse. Et, là…

—Cham ! Te revoilà, mon neveu ! ricane le jeune Addrak. Tu as eu tort de jouer avec la magie noire !

Sentant sa monture impatiente de se jeter sur le fugitif, Darkat la retient :

—Doucement, ma belle ! Tire encore sur le fil ! Et montre-moi où est ma sœur, Dhydra !

Presque aussitôt, une autre image apparaît. La jeune femme est assise sur un rocher, au pied de la montagne.

– Je les tiens ! jubile Darkat. Va ! Attrape-les !

La strige s'élance au-dessus du marécage.

Elle ne va pas loin. Car les joncs, les roseaux, toutes les plantes qui poussent dans la terre boueuse s'allongent soudain démesurément et viennent s'entortiller autour des jambes du sorcier. Surpris, il se débat, tente d'arracher les tiges souples. Impossible ! Elles se resserrent plus fort encore. La strige lance en tous sens ses tentacules de fumée, mais des liens vivants l'emprisonnent, la tirent vers le bas.

– Quelle sorcellerie est-ce là ? s'affole Darkat.

Il prononce une formule pour se libérer. La formule n'agit pas. Pire : d'autres tiges montent vers lui, noires, épaisses, humides. Elles ondulent, elles sifflent, elles… Elles ont des têtes, des gueules, des langues fourchues, des crocs luisants de venin ! Ce ne sont plus des herbes qui le retiennent, ce sont des serpents ! D'affreux reptiles qui enroulent autour de lui leurs anneaux écailleux !

Une terreur glacée paralyse le sorcier. Est-ce Cham qui… Non, c'est impossible ! Le garçon n'est pas assez puissant ! D'ailleurs, il n'y a pas que de la magie, là-dedans. Darkat sent autour de lui une vibration différente, liée aux mystères de la nature. Ces forces-là, il ne les maîtrise pas, et cela l'épouvante.

Les liens de roseaux l'entraînent sans qu'il puisse s'en défaire ; il va être aspiré par la vase, étouffé par les serpents, noyé dans l'eau croupie du marécage !

Alors, Darkat se met à hurler.

Comme si une puissance invisible avait entendu ce cri, les maléfices cessent d'un coup. Autour du jeune sorcier, il n'y a plus que la nuit et la brume. Encore tout tremblant, il cherche des yeux Cham, Dhydra. Ils ont disparu.

Darkat reprend lentement ses esprits. Refusant de s'avouer vaincu, il marmonne entre ses dents :

— Vous êtes bien cachés, mais je sais que vous êtes là ! Je vais avertir le Conseil des

Sorciers. N'espérez pas échapper longtemps à la magie noire des Addraks !

Il lance un ordre. La strige fait demi-tour et repart vers le nord.

Au palais de Nalsara, Isendrine et Mélisande observent le récipient où scintille le vif-argent. Des volutes se dessinent dans le liquide métallique.

Alors les magiciennes s'exclament, joyeuses :

– Dhydra et Cham ont mêlé leur magie…

– … à de bien curieux enchantements ! Ils sont sauvés !

– Vous voilà libres, à présent, dit Nastrad.

Cham et Igrid, assis l'un près de l'autre, échangent un regard complice.

– Tu te débrouilles pas mal avec les serpents, toi aussi, reconnaît le garçon.

Igrid hausse les épaules :

– Je me suis contentée de les rassembler. Les sortilèges qui les ont rendus énormes et qui ont fait pousser les herbes, c'est mon

grand-père, ta mère et toi qui les avez lancés. Je n'avais jamais assisté à un phénomène aussi impressionnant. Ce sale petit sorcier addrak a eu la trouille de sa vie !

Pendant que les enfants bavardent, Dhydra serre la main du chaman dans les siennes :

– Merci, Nastrad. Merci pour votre hospitalité et pour votre aide. Sans vous, nous étions perdus.

– Ce fut un plaisir, Dhydra ! Vous allez pouvoir retourner chez vous, maintenant.

La jeune femme secoue la tête :

– Mais comment franchir les Mornes

Monts ? La neige et la glace qui bloquent les cols ne fondront pas avant deux mois…

– Oh, vous n'aurez pas à attendre aussi longtemps ! Le Libre Peuple connaît bien la montagne. Ne vous ai-je pas parlé de chemins secrets ?

Avec un sourire énigmatique, le vieil homme conclut :

– Ayez confiance, Dhydra ! Ombrune n'est qu'à trois jours de marche. Je devrais plutôt dire : trois nuits…

Retrouve vite Cham et Nyne
dans la suite des aventures de

Les dragons de Nalsara

Tome 12
Dans le ventre de la montagne

Nastrad l'a expliqué à Dhydra : il leur faudra environ trois jours pour traverser les Mornes Monts. Trois jours qui seront comme trois nuits, car ils marcheront dans le noir, à la seule lueur des lampes à huile. Les jeunes gens qui les accompagnent, Sappi et Saddi – des jumeaux –, connaissent bien le réseau de galeries creusé au cœur de la montagne. Ils conduiront les voyageurs jusqu'à un tunnel, caché derrière un pan de rocher. De là, Dhydra et Cham n'auront plus qu'à continuer tout droit. Lorsqu'ils reverront la lumière du jour, ils auront franchi la frontière. Ils surgiront de l'autre côté des Montagnes du Nord, ils seront à Ombrune.

Le petit groupe avance d'un bon pas.

Sappi et Saddi marchent devant, Dhydra vient ensuite, puis Igrid et Cham, qui ne cessent de pouffer et de bavarder. En réalité, chacun d'eux se montre plus gai qu'il ne l'est ; dans moins de deux heures, ils le savent, ils seront arrivés à l'entrée du tunnel où ils devront se séparer.

Les flammes jaunes des lampes projettent des ombres dansantes sur les parois. Parfois, le chemin monte ; parfois, il descend. D'autres galeries s'ouvrent à droite ou à gauche. Dhydra lance à leurs accompagnateurs :

—Je comprends pourquoi Nastrad a insisté pour que vous nous serviez de guides. Je pensais qu'un plan des souterrains nous suffirait. Mais sans vous, nous serions déjà perdus !

Sappi et Saddi prennent un air important.

—Il faut être né dans le ventre de la montagne pour s'y promener sans danger, affirme l'un.

—Enfin, sans danger, ce n'est jamais sûr…, continue l'autre.

—Que voulez-vous dire? l'interroge Dhydra.

Les jeunes gens échangent un regard. Puis ils déclarent:

—Oh, rien, rien…

—Ce sont des histoires…

—Des histoires? Quelles histoires? intervient Cham, un peu inquiet.

—Ne les écoutez pas! lance alors Igrid. Sappi et Saddi sont les élèves de notre conteur, qui leur apprend des tas de légendes. Et celles qu'ils ne connaissent pas, ils les inventent. Ce sont les deux plus grands menteurs de la tribu!

—On n'est pas des menteurs! proteste Sappi.

—Il y a des histoires qu'on invente, reconnaît Saddi. Mais celle de Cogne-Rocher, elle est vraie! Cogne-Rocher existe. On l'a même rencontré.

Tous se sont arrêtés. La flamme des lampes monte toute droite, et les ombres cessent de bouger sur les parois.

Dhydra demande d'une voix calme :

—Qui est Cogne-Rocher ?

Il y a un instant de silence embarrassé. Puis Saddi marmonne :

—Enfin, on ne l'a pas vraiment vu…

Igrid éclate d'un rire un peu forcé :

—Qu'est-ce que je vous disais ! Ils racontent n'importe quoi !

Sappi poursuit :

—On ne l'a pas vu, mais on l'a entendu. Plusieurs fois. Dans les galeries, là-bas. *Ça* tape dans le mur, *ça* nous accompagne. Et si on continue d'avancer, *ça* tape de plus en plus fort, comme si *ça* se fâchait.

—Oui, renchérit Saddi. Comme si *ça* nous interdisait d'aller plus loin.

Cham sent ses cheveux se hérisser sur sa nuque. Si c'est une plaisanterie, il ne la trouve pas drôle. Dans un petit moment, sa mère et lui vont se retrouver seuls dans les souterrains, seuls avec leurs pauvres lampes qui éclairent à peine à dix pas. Et s'il y a vraiment, dans les recoins de la montagne, une créature qui refuse de les laisser passer, que leur arrivera-t-il ?

Les dragons de Nalsara